Y DWYS A'R DIGRI

Cerddi

Dai Rees Davies

Cyhoeddiadau Barddas
2007

Argraffiad cyntaf: 2007

ISBN 978-1-906396-00-8

Cyhoeddwyd gyda chymorth ariannol
Cyngor Llyfrau Cymru.

Cyhoeddwyd gan Gyhoeddiadau Barddas

Argraffwyd gan Wasg Dinefwr, Llandybïe

Cyflwynedig
i
Vera

Cynnwys

Bardd Tywyll 11
Mewn Bwth Pleidleisio 11
Limrig 11
Drych 11
Odlau Trebl 12
Modrwy 12
Dallineb 12
Gwahodd y Brifwyl i'r Ardal 14
Perthnasau 14
Cawod 14
Cysgod 15
Anaf 15
Annwyd 15
Cwmni 15
Gofyn Cymwynas 16
Llannerch 16
Meddyg 17
Nyrs 17
Rhaff 17
Y Tî-pi 17
Tŷ Haf 18
Pennill Ymson mewn Maes Awyr 18
Cylch Cinio 18
Colli Pwysau 19
Ton 19
Nadolig 19
Emyn: Adfywiad 20
Trysor 21
Tir Glas 21
Dosbarth Nos 21
Chwe Phennill Telyn 22
Cynghanedd 23
Waldo 23
Lladrata 24
Diolch am Gymwynas 24
Drych 25
Diwygiad 26
Bocs Sebon 26
Limrig yn Ymwneud â
Chymeriad Beiblaidd 26
Dudley 26
Cefn 27
Olwyn 27
Gwynt 27
Torri'r Garw 28
Gelyn 28
Cymuned 28
Calennig 29
Calan Gaeaf 30
Gormes 30
Difaterwch 31
Pentref Capel Celyn 31
Sycharth 31
Tyddewi 32
Dolwar Fach 32
Y Llyfrgell Genedlaethol 32
Capel Salem 32
Plas y Bronwydd 33
Ysgol Gynradd y Pentre' 33
Iwerddon 33
Bedd 34
O Flaen fy Ngwell 34
Enw 35
Epigramau a Gwirebau 36
Dwy Delyneg: Gwawr, Machlud 38
Fy Nhraeth 39
Fy Nghi Hiliol 39
Cyrraedd 39

Limrig 40
Brawd (Epa) 40
Cysgod 40
Llygaid 41
I Gofio Edwin 41
Gwanwyn 42
Haf 42
Hydref 42
Gaeaf 42
Gwrthdrawiad 43
Rhyfeddod 43
Cyfarchion i Emyr Penrhiw 43
Pluen 44
Strydoedd 44
Tafodiaith 45
Englynion Nadolig 46
Hydref 47
Y Baban Iesu 47
Nadolig 47
Nadolig 48
I Gofio Soch 48
Datblygiad 49
Dwylo 49
Limrig 49
Gofyn am Rodd 50
Nansi 50
Un Tal yn y Toilet 50
I Gyfarch D. T. Lewis yn 80 oed 51
Cau 51
Cricedwr 51
Camlas 51
Cwsg 52
Paradwys 52
Cystadlu 52
Mewn Ysbyty 53
Storom 53
Tro ar Fyd 53
Dagrau 53
Hi 54
Cydymdeimlad 55
I T. Llew Jones yn 80 oed 55
Prifathro Ysgol 55
Terfyn 55
Beddargraff Gweinidog 56
Beddargraff Pregethwr Cynorthwyol 56
Beddargraff Beirniad 56
Beddargraff Enillydd 56
Wrth Weld Llun Enwog Geoff Charles 57
Pont 57
Ar Achlysur Dathlu 250 mlynedd Capel Hawen, Rhydlewis 57
Peswch 58
Enw Da 58
Camera 58
Englyn ar Gerdyn Post gan Rywun ar Wyliau 59
Darlun 59
Emyn yn Moli Harddwch Natur 60
Y Fam Teresa 60
Cymdogaeth 61
Ceisio Deall 61
Hwiangerdd 62
Penillion Telyn 62
Brodor 62
Gwydr 63
Iselder 63
Bwlch 63
Ynys 64
Cyfaill 64
Emyn ar gyfer Gwasanaeth Cysegru Capel Gorffwys Soar, Sarnau 65
Cwrdd 66
Breuddwyd 66
Molawd i Gymdoges 66
Ailgylchu 67
Drws 67
Finlandia 68
Myfyrdod 69
Annibendod 70

Ffrind Gorau ... 70
Cydwybod ... 70
Drws ... 71
Fy Mro ... 71
Hen Gelfyddyd ... 71
Y Bandit Unfraich ... 72
Damwain ... 72
Parodi: Y Llwynog ... 73
Coleg ... 73
Meibion Glyndŵr ... 73
Pedol ... 74
Y Gambo ... 74
Twyll ... 74
Gwahoddiad ... 75
Dwrn ... 75
Cywydd Coffa i'r Prifardd Dafydd Jones, Ffair Rhos ... 76
Tribannau: Bywyd: Gwanwyn, Haf, Hydref, Gaeaf ... 77
Ffarwél i'r Bibell ... 78
Y Deintydd ... 78
Rhyddhad ... 79
Afon Teifi ... 79
Cadwyn ... 80
Teyrnged i'r diweddar Roy Stephens ... 80
Beddargraff Ysgafn ... 81
Emyn i Godi'r Galon mewn Cyfyngder ... 81
Ann Griffiths ... 82
Barddas ... 82
Coed Coch ... 83
I Gyfarch Marian Thomas, Felin Brithdir, Rhydlewis ... 83
Carchar ... 84
Casineb ... 85
Enfys ... 86
Cymwynas ... 88
Gwarchod ... 89
Cwsg ... 89
Cynildeb ... 89
Ffenestr ... 90
Ffurflen Cyfrifiad 2001 ... 90
Cyflymder ... 90
Beddargraff i'r Twrci ... 91
Annhegwch ... 91
Effeithiolrwydd ... 91
Ar Enedigaeth ein Hŵyr ... 91
Pellter ... 92
Amen ... 92
Diwedd y Daith ... 92
Paham? ... 92

Bardd Tywyll

’Rôl gwisgo sbectol haul
A lliwio ’ngwallt yn ddu,
Fe nyddaf ambell bennill –
Bardd tywyll ydwyf i.

Mewn Bwth Pleidleisio

Bu cario cyllell boced
Erioed yn bwysig im,
A chaf, ’rôl torri’r gorden,
Y pensil hwn am ddim.

Limrig

Ni fûm ddoe nac echdoe mewn gwersi,
Na chwaith y ddau ddiwrnod cyn hynny,
Ac mae fy nyfodol
Yn eithaf addawol
Waeth mae yn ddydd Sadwrn yfory.

Drych

Bob amser pan chwaraewn
Ger ffynnon fy mam-gu,
Fe daflai lun ohonof
Yn ôl i’m llygaid i.

Ond heddiw pan edrychaf
Nid oes ’run llun a ddaw,
Waeth, erbyn hyn, y ffynnon
Sy’n llawn o ryw hen faw.

Odlau Trebl

Bu'n rhaid i fy ngwraig roddi pil i fi
'Rôl y sioc wedi i'r fet anfon bil i fi:
  Roedd yn gofyn can punt
  Am ddod ar ei hynt
I sbaddu'r bwch gafar, sef bili fi.

"Rwy'n feichiog," medd Kate, "Mae'n calamiti."
Atebais hi'n syth, "Yr wyf am i ti
  Beidio â gofidio
  A cheisio ymlacio,
Rwy'n addo y prynaf i bram i ti."

Modrwy

Er bod nod ein llwon ni – heno'n fain
  Ar hen fys sy'n edwi,
 Mae o hyd gyfamodi –
 Y darn hwn yw'n hyder ni.

Dallineb

Heno breuddwydiaf innau
Am ryw awr o 'nhymor iau,
Waeth tymor i'w glodfori
Ydoedd hwn, pan oeddwn i
Yn mynd gan weled pob man
Yn haf drwy Gymru gyfan.

Fe yrrwn i gyfeiriad
Rhyw wledd ymhob cwr o'r wlad,
Hwyliwn fel pili-pala

Ar wib yn awel yr ha',
A'r hwyl fyddai'n hir barhau
Yn arial i'r mân oriau.

Ond yn ddirgel roedd gelyn
Yn dod i'm gafael yn dynn,
A rhoi fy holl hyder i
Yn Annwn, a chau'r llenni.
Rwy'n y dduaf ystafell
Yn gaeth yn hirnos y gell.

Nid oes yn nh'wyllwch y dydd
'Run llun i greu llawenydd,
Nid yw'r wawr imi'n gwawrio
I fawrhau holl liwiau'r fro,
Nos hir yw fy hanes i,
Un nos lle nad yw'n nosi.

Pa bwynt yw agor cloriau
Fin hwyr? Ni allaf fwynhau
Na hawlio yr un golud
O fewn 'run gyfrol sy'n fud;
A'r silff yn llawn llyfrau sydd,
Heb un o dan obennydd.

Ni ddaw i gyfannedd oer
Fy nos, ond niwlen iasoer;
Ni welaf ddagrau galar,
Na gwên fy nghyfeillion gwâr,
Na mawredd y tymhorau –
Rwy'n fy nghell, a'r gell ar gau.

Gwahodd y Brifwyl i'r Ardal

Annwyl Elfed,
                    Gweithredu
Ar ran gwahoddiad go gry'
Yr wyf, sy'n galw'r brifwyl
A'i holl asbri hi a'i hwyl
Yn ôl i hedd cefen gwlad
I ruddin ein gwareiddiad.

Ymhob tref y mae'r llefydd
Yn dod yn brinnach bob dydd,
Ond 'sdim prinder aceri
Yn y wlad i'w chynnal hi.
Fel safle, cewch le heb lol
Ar y rhos ger Ffostrasol.

Perthnasau

Mae gennyf rai perthnasau
Yn y sŵ tu fas i'r dre,
A 'na pam rwy'n cyfrannu
At yr R.S.P.C.A.

Cawod

Daeth dau o'r llan un bore
    Pan na fu glasach nen,
A chawod o gonffeti
    Ddisgynnodd ar eu pen.

Yn fuan daeth cymylau
    A diferynnau glaw,
A'r ddau yn methu mwyach
    Cydgerdded law-yn-llaw.

Cysgod

Y poenau hir-ymaros
Yn mynd yn waeth o hyd
Nes imi fethu deall
Paham yr oedais c'yd,
A rhaid oedd derbyn yn y man
Fod cysgod amser yn y sgan.

Anaf

Nid yw ei chleisiau duon – ond arwydd
O'r dyrys bryderon
A wna o hyd boeni hon –
Ni welir cleisiau'r galon.

Annwyd

Am fod annwyd ar *chef* 'Y Glendower'
A'i drwyn e yn rhedeg drwy'r amser,
Fe sylwodd un person
Oedd gwsmer reit gyson
Fod y sŵp yn deneuach nag arfer.

Cwmni

Yn ôl ei harfer
Rhoddodd lestri i ddau ar y lliain glân
A gweiddi ar stepen y drws:
'Ifaaan . . . Bwwyyd.'

Cyrhaeddodd yr ofalwraig cyn hanner dydd
I ffugio,
Er mwyn i'r weddw ddryslyd
Gadw ei hunig gwmni.

Gofyn Cymwynas

Feddyg! Na thro glust fyddar
I gais dioddefwr gwâr:
Agor y ddôr i'm rhyddhau
O wenwyn hir fy mhoenau
Gan gydnabod â'th nodwydd
Yr hawl i gael marw'n rhwydd.

Minnau'n daer yma'n dy ŵydd
Yn hofran uwch gwallgofrwydd,
Ac effaith pob rhyw gyffur
Yn methu cornelu'r cur,
Rho im barch, daw grym o big
Nodwydd mewn llaw garedig.

Llannerch

Rhy gul o lawer oedd fy llwybyr troed
A gwyrais tua'r goedwig ar fy nhaith
Nes colli'r ffordd, oherwydd yn y coed
Ni threiddiai golau dydd i'r düwch maith;
Ac fel yr afal hwnnw'n Eden gynt
Roedd ffrwythau drwg yn hongian ar bob tu:
Fe'u profais wrth fynd heibio ar fy hynt
Gan fynd yn gaeth i demtasiynau lu.
Ond yna, yn dosturiol, cafodd llaw
Ei hestyn yn gyfeillgar drwy y dail,
Cymerais hi, a chael fy arwain draw
I lannerch adnabyddus yn yr haul:
Ac yn yr heulwen rwyf am ddiolch yn awr
Fod ambell lannerch ymhob coedwig fawr.

Meddyg

Y meddyg oedd rhy brysur
I weld fy ngwraig mewn gwewyr,
Ond daeth i'w hangladd mewn tei du –
Roedd hynny yn rhyw gysur.

Nyrs

Mae nyrs sydd ar ward Tywi
Bob amser arna' i'n gwenu
Ers iddi siafio'r blewiach mân
Yn adran isa' 'nghorff i.

Rhaff

Dringwr ar fin dibyn unig – yw dyn,
Ac ar daith flinedig
Oeda bob rhyw ychydig
A bwrw'i raff tua'r brig.

Y Tî-pi

Caf smocio 'pot', ond 'sdim poti – yno,
Na chenel i'r milgi,
Ond mae hwn o hyd i mi'n
Rhywle neis ar ôl nosi.

Tŷ Haf

Aelwyd lle gynt bu teulu
Diddan, a hen fan a fu
Unwaith yn rhan ohonom
Nes i bres oresgyn bro
Mewn cenllif o fewnlifiad,
A dŵr brwnt yn bwydo'r brad.

Heddiw, a'r llif yn boddi
Ein hil, a'n goresgyn ni
Yn ffaith, trodd yr aelwyd ffel
Yn dŷ, ac yno'n dawel
Hen iasau oer, digysur
Yw maen ar faen pob rhyw fur.

Pennill Ymson mewn Maes Awyr

Roedd y plên ddaeth lawr i'r rynwe
Yn eitha' agos nawr:
Rwy'n troi fy nghar yn ôl fan hyn –
Mae'n saffach ar ffordd fawr.

Cylch Cinio

Yn fisol mae'r 'Cylch' yn cyfarfod,
Cawn fwyta, cawn lymaid, cawn sgwrs,
A chyfle i bawb gymdeithasu
Wrth loetran uwchben pedwar cwrs;
A heno fy mhlât oedd mor llwythog,
Mi fethais ei orffen i gyd
(Mae'r elw, mae'n debyg, er helpu'r
Newynog mewn rhyw drydydd byd!).

Colli Pwysau

Pe bai dyn deuddeg stôn yn rhoi'i feddwl
Ar haneru ei bwysau, 'sdim trwbwl,
    Ond pe bai yn colli
    Chwe stôn ar ôl hynny
Byddai'n anodd ei weled o gwbwl.

Ton

Ar draeth holl genedlaethau – ein hoesoedd,
    Difesur eiliadau
  O'n hanes ydyw'r tonnau –
  Un o'r rhain yw ein hoes frau.

Nadolig

Cyn i'r ha' droi am adre' – yn wisgi,
    Cyn gwisgo'r sidanwe
  O lwydrew dros ddail hydre',
  Daw'r ŵyl i holl siopau'r dre'.

Hon yw gŵyl hwyl a ffowlyn, – hon yw gŵyl
    Bwyd a gwin diderfyn;
  Hon yw gŵyl cainc o gelyn –
  Nid yw ŵyl i Fab y Dyn.

Ceir haid o gardiau credyd – i'n hudo
    I ddyledion enbyd
  Wrth i'r nerthol greu golud
  Heb air am Waredwr byd.

Pob rhibyn o warineb – a beidiodd
    Mewn byd o ddallineb,
  O ferw'n hoes 'wêl fawr neb
  Y rheswm am y preseb.

Emyn: Adfywiad

Y glaslwyn yn fy ngardd
Oedd yn edwino,
A grym y gaeaf du
Yn amlwg arno.
Rhaid oedd i'r brigau briw
Oll gael eu tocio
Er mwyn i'r newydd dwf
Gael lle i impio.

Mae 'blychau sgwâr' fy mro
Yn cau eu drysau,
A baich i 'ddau neu dri'
Yw'r adeiladau.
Maent, fel y brigau briw
Sydd heb eu tocio,
Yn atal newydd dwf
Sy'n ceisio impio.

O tyrd, y Garddwr Mawr,
I ardd y gerddi;
Ti'n unig biau'r ddawn
I drin a chwynnu;
Dilea'r ddefod hen
Sy'n ein llesteirio,
A galw'r newydd dwf
I'th winllan eto.

Trysor

Ei rieni a arweinir – yn drist
At y drôr, lle cedwir
Mewn amlen wen, gudyn hir
Un ifanc nas anghofir.

Tir Glas

Fe'i gwelwyd ar hafnosau ei benllanw
Yn loetran yn y bwlch yng nghlawdd Parc Hir,
A chael mwynhad wrth weld ei lafur caled
Yn lliw y borfa las a wisgai'r tir.

Wrth gerdded heibio'i fedd ym mynwent Seilo
Nid oes ond twmpath gwyrdd yn gofeb fud;
Ni naddwyd unrhyw faen i sôn amdano –
Tir glas sy'n dweud yr hanes, dyna i gyd.

Dosbarth Nos

Ar ynys, carcharor heno – ydwyf
Sy'n oedi cyn mentro
I'r dŵr hallt, ond mynd rhyw dro
A wnaf 'rôl dysgu nofio.

Chwe Phennill Telyn

Er fy mod i yn heneiddio
A'r blynyddoedd yn fy lluddio,
Y mae miloedd o atgofion
Yn ddiogel yn fy nghalon.

Rwy'n ddyledus iawn i ffrindiau
Am eu mynych gymwynasau,
Ond yr unig falm i'r enaid
Ydyw cwmni fy nghi defaid.

Fi fy hun fu'n plannu'r hedyn
A'i ddyfrhau'n rheolaidd wedyn,
Ond Pen Garddwr mawr yr oesau
A fu'n rhoddi iddo wreiddiau.

Er i'r garreg fedd â'i henw
Ddweud fod Heledd wedi marw,
Y mae'n fyw, nid gwir y geiriau
Tra bydd anadl yn fy ffroenau.

Cefais gwmni cymeriadau
Wrth fynychu eu seiadau,
Ond diflannodd y gyfeillach –
Siop y pentre' nid yw mwyach.

Af yn ôl i fro fy ngeni
Lle bu'r hafau hir yn oedi,
Ond mae'r ardal lle bu'r croeso
Wedi rhewi'n galed heno.

Cynghanedd

Rhyw drefn a gęs ar y DRAWS, – ond y GROES
Gyda greddf mor gydnaws
Anodd yw, tra'r LUSG sydd haws
Na'r SAIN soniarus, hynaws.

Waldo

A oedd hwn yn hen, hen ddarn
A rwygwyd o Foel Drygarn?
Neu ai maen o Dalmynydd
O ryw hollt a ddaeth yn rhydd –
Y maen a erys byth mwy'n
Rin gyfrin dros Garn Gyfrwy?

Heriodd â'i egwyddorion
Y barrau heyrn, a bu bron
Â gweld ei gelfi i gyd
Yn nwylo hwsmyn celyd.
Fwy na neb fe wnâi o hyd
Aberth dros 'fur ei febyd'.

Fan draw yn Abertawe –
Y nos fu'n goleuo'r ne'
A oedodd, a'i thrallodau
Fu'n blaen fel staen i dristáu
Gŵr deallgar, gwâr, fu'n gaeth
I Walia, a Brawdoliaeth.

Y mae tair cofeb mwyach –
Hen faen ar gomin Rhos Fach,
Y rhes o lythrennau prin
A'i enw ym Mlaenconin,
A chronfa wych yr awen
A red o gloriau *Dail Pren*.

Lladrata

Mae gennyf ddwy droli o Tesco
A gwydrau o dafarn Llangeitho,
    A chyllyll a llwye
    O restront yn rhywle,
Hyd yma mi fethais gael piano.

Diolch am Gymwynas

O Dduw, llawn trugaredd wyt,
A Thad pob bendith ydwyt,
Oherwydd buost barod
Ar ddydd o wewyr i ddod
I roddi help, drwy ryddhau
Un annwyl o'i chadwynau.

Yn wrol bu'n bodoli,
Ond er ei her gadarn hi –
I'w chell fe dreiddiodd ei chur
Yn ddialydd o ddolur.
Er ei ing, y mae'r angau
Yn well, gallaf lawenhau.

Drych

(Buddugol, Llanbedr Pont Steffan)

Heno, yng Nghenarth,
Yn y dŵr oer gwelais drem
O fy wyneb fy hunan.

Ond yn y dŵr
Nid llun yn unig
A nofiai ar afon Teifi
Mewn rhyw bwll sydd islaw meini'r bont,
Waeth tu ôl i'r llyfnder yn y dyfnder du
Gwelais o fin y geulan
Fy mywyd i gyd, a gweld
Y miloedd o gymylau
Ar war y nos yn crynhoi.

Yn y dŵr yr oedd stori,
Yn y dŵr – fy mywyd i
A welais am eiliad.

Yn Nheifi roedd yr hyn a anghofiais
Yma yn fy ymyl.
Ond pwy yn y cyfnod pell
A wnaeth ddweud wrth ddŵr
Afon Teifi
Am aeaf a haf fy oes?

Aeth rhyw wefr ddieithr iawn
Yn iasau drosof.
Yna'n sionc brasgamais i
O ymylon yr afon ryfedd
A'i drych a godai ryw ofn
Heno yng Nghenarth.

Diwygiad

Y llyn sydd nawr mor llonydd – ei natur
All eto'n ddirybudd
Yrru ton ar don un dydd
I wanio ei geulennydd.

Bocs Sebon (Slot hanner awr yn y Babell Lên)

(Buddugol Englyn y Dydd (Gwener), Casnewydd 2004)

Llwyfan yr holl lwyfannau – i'r werin
Roi her i'r pwerau
A ni oll yn cael mwynhau
Yn huodledd y dadlau.

Limrig yn Ymwneud â Chymeriad Beiblaidd

(Buddugol Limrig y Dydd (Iau), Casnewydd 2004)

Ganrifoedd cyn adeg 'Welsh Not',
Reit nôl bron nes cyrraedd 'Year dot',
Roedd menyw'n dyfalu
Sawl gŵr a fu ganddi
Oherwydd bu'n briod â Lot.

Dudley (y cogydd ar y teledu)

(Buddugol Englyn y Dydd (Mercher), Casnewydd 2004)

Hwn rwbia ei arabedd – yn gymysg
Â'i hiwmor diddiwedd,
A hidlo ei huodledd
I gael hwyl wrth lunio gwledd.

Cefn

Ni chododd neb o'r dyrfa
Ar alwad y corn gwlad,
A lliain du Penbedw
Fu'n cynnig eglurhad;
Ac am i'r prynhawn hwnnw
Roi inni'r Gadair Ddu
Fe fydd Cefn Pilkem mwyach
Yn rhan o'n geirfa ni.

Olwyn

Hon ydyw ein trafnidiaeth, – hon yw'r un
Fu'n chwyldroi byd amaeth,
A manteision hon a wnaeth
Ei hôl ar y ddynoliaeth.

Gwynt

Yn y dre' wrth fynd ar hynt – fe allaf
Ollwng fy holl gerrynt:
Bod yn dawel, ddihelynt
Ydyw'r gamp wrth dorri gwynt.

Torri'r Garw

Y newydd drwg a dreiddiodd
Drwy'i galon fel rhyw saeth,
Ond roedd yng nghefn ei feddwl
Argyfwng llawer gwaeth,
Sef sut a phryd y medrai
Gyfaddef wrth ei dad
Fod haint ar fin difrodi
Hen fuches orau'r wlad.

Gelyn

Rhywle'n y dirgel roedd yno elyn
Anweledig yn dinistrio'n blodyn,
Yn treiddio'n llechwraidd drwy ei gwreiddyn,
Yna ei hysgwyd, a'i phetalau'n disgyn.
Ai ofer ydyw gofyn – pwy bechodd,
A phwy a'i rhoddodd yn ôl i'w phriddyn?

Cymuned

Ynof mae ynys,
A'r môr mawr
Yn rhwygo haen o'i chreigiau o hyd;
Hen gasineb cyson y tonnau
Yn bwrw a bwrw'n ddi-baid
A dyrnio ar gadernid
A grym y graig.

Ynof y mae hanes
Na ddysgais yn nyddiau ysgol –
Hanes ochr arall y geiniog;
Gormes hir o hanes hyll
A hawlia gywilydd.

Ynof mae'r teimlad hwnnw
O fod yn ynys fy hun,
Ynys unig
Yn sŵn y tonnau Sacsonaidd.

Ynof mae'r penderfyniad
I roi llaw i helpu'r lleng
Sy'n gwylio heno'r glannau.

Calennig

Mae llawer bore Calan yn y co'
A'u hen rigymau'n hofran drwy y wawr;
Roedd lled y drws o groeso drwy y fro
I'r don a sgubai'n swnllyd drwy'r ffordd fawr.
O un i un yr oedd ceiniogau lu
A llawer pishyn tair yn gyson iawn
Yn disgyn drwy dwll gwddf fy more i
Nes bod fy nghwdyn arian bron yn llawn.
Ond mwyach ni ddaw neb drwy iet y clos
Ar drothwy'r flwyddyn i'n sirioli oll,
Hen arfer arall aeth i ddüwch nos
Oherwydd plant y werin sydd ar goll:
A thros fy ngrudd fe lifa deigryn slei
Waith llyncwyd Calan gan 'New Year's Day'.

Calan Gaeaf

Mae'r dydd yn mynd yn fyrrach, gwaethaf modd,
A daeth Nadolig eisoes i'r stryd fawr,
Ac yntau'r Sais o'i fwthyn haf a drodd –
Mae dros Glawdd Offa yn ei gastell nawr.
Y byrnau mawr sy'n gymen heno i gyd
Lle gynt bu'r crefftwyr wrthi'n codi tas;
Mae llond yr 'Atcost' o beiriannau drud
Waith ni ddaw'r ffermwr mwy i hurio gwas.
Ond daw y marsiandiwyr ffraeth eu gair
A'u golau'n fflachio drwy'r stondinau oll,
Ac er bod cannoedd heno yng nghae ffair
Mae'r naws werinol wedi mynd ar goll.
Daeth staen Americanaidd ar ein byw,
A 'Trick or treat' yw'r geiriau ddaw i'n clyw.

Gormes

'Rôl i ni wasaidd orwedd yn ddi-stŵr
Ar wely gwellt Prydeindod yn rhy hir,
Arweiniwyd ni o'n trwmgwsg gan dri gŵr
At adwy gwinllan lawn ein ffrwythau ir.
Un fflam, i ddechrau, fu 'Mhenyberth gynt
Pan frathodd tri drwy ein cydwybod ni,
Fflam a gynyddodd dan berswâd y gwynt
Feginwyd gan wladgarwch ar bob tu.
Yng nghwmwd Rhondda ac yn Nhaf Elái
Daeth awel o euogrwydd dros y fro:
Mae'r fflam o'r diwedd wedi bywiocáu
A'i gwres i'w deimlo lle bu'r pyllau glo.
Mae 'tri Penyberth' heno'n dweud yn blaen
Am inni gadw i fynd: 'Ymlaen, ymlaen'.

Difaterwch

Daeth Saeson i Landŵr o Lundain bell,
A rhywun o Gaerhirfryn i Nant-llo,
Dod yma i chwilio am rywle oedd yn well
A wnaethant yn nhawelwch hir ein bro.
O Birmingham a Swindon, Slough a Chaint
Mewnfudodd rhagor o'r Sacsonaidd lu,
A'r tonnau'n tyfu'n fwy a mwy eu maint
Nes iddynt erbyn hyn ein boddi ni.
'The Smithy' ydyw'r efail erbyn hyn
Er nad oes yno eingion na'r un gof,
Ac nid yw'r hwyl o'r capel ar y bryn
I'w glywed mwyach ond yn nwfn y cof.
Y winllan hardd sydd bellach dan y lli
A dreiddiodd drwy ein difaterwch ni.

Pentref Capel Celyn

Er chwithdod y difrodi, – er y siom
    Wrth i'r Sais ei foddi,
  Rhywfodd, mae'r hen gartrefi
  Yn fyw o hyd ynof i.

Sycharth

Yn nyfnder difaterwch – ein hoes wâr
    Clywais waedd o dristwch
  Yn galw o ddirgelwch
  Y lle hwn sydd dan y llwch.

Tyddewi

Hedeg i'r gorwel llwydwyn – a wna swyn
Dewi Sant, ond wedyn
Mae o hyd i'r sawl a'u myn
Hen iasau yng Nglyn Rhosyn.

Dolwar Fach

Erys tu fewn y muriau – ryw 'Danbaid
Fendigaid' adegau,
Waith rhywle'n y gwagle'n gwau
Y mae Ann a'i hemynau.

Y Llyfrgell Genedlaethol

Yno'n naws yr hen oesau – a'u helynt,
Awn tu ôl i ffiniau
Magwyrydd, lle mae geiriau
Hyna'r iaith yn hir barhau.

Capel Salem

(a anfarwolwyd yn y llun gan Curnow Vosper)

Er un Sadwrn wneud siwrne – i weled
Salem, Cwmcymere,
Fe wyddom, rhaid cyfadde' –
Y llun a'n denodd i'r lle.

Plas y Bronwydd

O herio'r stormydd garwaf – mae olion
Datgymalu araf
Yn gwelwi'i wedd, yntau'n glaf
Yn nwylo'r gelyn olaf.

Ysgol Gynradd y Pentre'

Hon yw gardd orau'r gerddi, – hon yw'r ardd
Rŷm yn rhan ohoni:
Yn nyfnder ei borderi
Rhoddodd nawdd i'n gwreiddiau ni.

Iwerddon

Rhyw angerdd am Iwerddon
A'm hudodd, fe'm hawliodd hon:
Mae pob dydd yn ddedwyddyd
A ddoe yw heddiw o hyd.

Fe gofiaf am ei safiad
I gael hawl i fyw fel gwlad,
A chodi yn uwch wedyn
Drwy bwerau'r hawliau hyn.

Hon yw'r ias yng nghochni'r hwyr,
Hon yw'r swyn drecha'r synnwyr,
Hon o hyd a'm geilw'n ôl –
A hon sy'n wlad wahanol.

Bedd

Pan welir angen cau'r llenni – ar ôl
Geiriau ola'r stori,
Mae 'na fan lle mynnaf i
Domen yn feddrod imi.

O Flaen fy Ngwell

Yn llunio englyn roeddwn yn gynnar un prynhawn,
A hwnnw'n englyn iasol, waith rwyf yn berchen dawn;
Ond och a gwae, bu anffawd! Y bloneg aeth i'r tân –
Saernïais linell seithsill oedd wedi'i llunio o'r bla'n.
Bu pobol yn gohebu, a rhai'n awgrymu'n gas
Na ddylwn fod yn aelod o Barddas o hyn mas.
O ddrwg i waeth aeth pethau nes roeddwn bron o 'ngho',
A'r stori'n *Barn* a *Golwg* a rhai papurau bro.
Ar doriad gwawr un bore ymweliad gefais i
Gan bedwar dyn busneslyd ar ran y C.I.D.
Buont wrthi'n chwilio'n ddiwyd am dair neu bedair awr
A mynd â llond dau frîffces o fy nghampweithiau mawr.
Eu bwriad ydoedd chwilio drwy'r cyfan â chrib fân
I gael gweld a fûm yn euog o lên-ladrata o'r bla'n.
Ym mrawdlys Abertawe ces fynd o flaen fy ngwell
A minnau yn gofidio y cawn fy rhoi mewn cell.
Y cwrt oedd le difrifol a'r stafell bron yn llawn
A mewn i'r ffrynt daeth bachan a'i wallt e'n hynod iawn.
Y Prifardd Emyr Lewis oedd yn f'amddiffyn i,
Un sy'n gyfreithiwr dawnus, ac mae e'n fardd o fri.
Dwedodd y dylai'r rheithgor gael gweld 'Exhibit A'
A chlerc y Llys ddangosodd *Cerdd Dafod* J.M.J.
Aeth at y bai 'Rhy Debyg', ac ymhelaethu wnaeth
Ar feiau gwaharddedig yn y mesurau caeth.
Ailadrodd 'run llafariaid sy'n broblem, dyna i gyd,
Ac nid ailadrodd llinell yn gyfan ar ei hyd.

A thros fy amddiffyniad aeth at 'Exhibit B' –
Barddoniaeth 'rhen ap Gwilym a'i holl gywyddau lu.
Dywedodd Emyr lawer am fardd Llanbadarn Fawr
Ac am yr anfanteision pe bai'n barddoni nawr.
Ap Gwilym luniodd filoedd o gerddi mawr a mân
Ac felly anodd ydyw cael lein na fu o'r bla'n.
Ni chafwyd fi yn euog ond bûm yn eithaf sâl
'Rôl siarad â'r cyfreithiwr a chlywed maint y tâl.
Am nad wyf i byth eto am gael shwt brofiad cas
'Mond gwneud llinellau gwallus y byddaf o hyn mas.

Enw

John Thomas oedd ei enw,
'Run fath â'i hen dad-cu,
John Thomas ar bob ffurflen
A thystysgrifau lu;
Ond heddiw ym Mryn Seion,
Gan lenwi'r llofft a'r llawr,
Mae'r werin gymwynasgar
Yn cofio John Pant Mawr.

Epigramau a Gwirebau

Enw Gŵr ddaeth i'n gwared
Yw gair o reg oes ddi-gred.

Mae i'r ifanc lanc y cledd,
Mae i henwr amynedd.

Pan fo sglein ar y geiniog
Yn llai o hyd yr â'r llog.

Un gaiff drwyth yn lle ffrwythau,
Un araf fydd i gryfhau.

A wertho'i faes i'r Saeson
A wna'n wyllt y winllan hon.

Mae llawer mewn border bach
Yn tyfu os wyt afiach.

Ni chei'n hawdd wrth edrych 'nôl
Un adwy i'r dyfodol.

Gweld pob un, yw 'nymuniad,
Yn mynychu tŷ ein Tad.

Tua'r gorwel fe weli
Olau dydd i'th lywio di.

Mae arlwy Duw i'n bwydo
O bryd i bryd yn ein bro.

Ar eu hynt mae rhai o hyd
Yn beio traffordd bywyd.

Ein gobaith ydyw gwybod
Drwy ein ffydd am ddydd i ddod.

Daw ar ôl y frwydyr hon
Yr alwad o'r gorwelion.

Y gŵr na wybu'r geiriau
Yw gŵr y chwedleuon gau.

Nid y dasg ofidia dyn,
Ei dechrau grea'r dychryn.

Yn y fynwent ar feini
Mae sawl rhes o'n hanes ni.

Fe ddaeth newid, nid oes neb
Yn awr yn mynd i Horeb.

O hau chwyn, ni fedwch ŷd.

Dwed llaw agored fwy na geiriau.

Yn y cof y mae cyfoeth.

Na wariwch ar oferedd.

Y gwir yw'r ateb gorau.

Nid meini sy'n gwneud mynwent.

Dwy Delyneg

Gwawr

'Rôl misoedd o ofid
A chydlawenhau
Y dydd disgwyliedig
Oedd nawr yn nesáu.

Ar ward eu llawenydd
A'u mab ar ddi-hun
Roedd pâr gorfoleddus
Genhedlaeth yn hŷn.

Machlud

Y teulu torcalonnus yn crynhoi
Wrth weld rhyw gwmwl du'n dod oddi draw,
Ac yn y ward wrth sychu gruddiau llaith
Roedd gofid ac anobaith law-yn-llaw.

Cyrhaeddodd pawb o'r teulu erbyn hyn,
A'r cwmwl safodd yno uwch eu pen,
Ac wedi ennyd o ddistawrwydd dwys
Fe ddaeth rhyw nyrs yn dawel i gau'r llen.

Fy Nhraeth

Ym mhenrhyn eitha'r cof mae traethell lefn,
A'r hafau crwn fu'n rhan ohoni gynt,
Ond digyfaredd yw mynd 'nôl drachefn
Wrth ddilyn fy nychymyg ar ei hynt;
Waith ble mae'r heniaith a'r diwylliant fu?
A ble mae'r hen gymdeithas wydn yn awr?
I ble diflannodd ein moesoldeb ni?
Rwy'n gwybod mwyach nad yw'r rhain ar glawr;
Ond heddiw ar fy nhraeth fe'u gwelaf hwy
Yn rhestr wâr ger trothwy hir y don,
Hen bethau nad ŷnt ond ysbwriel mwy
Ymysg broc môr yr adeg fydol hon.
Gweddillion mud, y llanw Seisnig wnaeth
Wasgaru ffordd o fyw dros war fy nhraeth.

Fy Nghi Hiliol

Mae'r Saeson yn rhedeg ar ras
Waith Bonso sy'n brathu mor gas,
A 'ngwraig sy'n fy annog
I wneud yn ddwyieithog
Yr arwydd Cymraeg sydd tu fas.

Cyrraedd

'Rôl galwad o'r ysbyty
Ymhell cyn toriad gwawr,
Prysurais i gyfeiriad
Diweddglo drama fawr;
Ac yna o ddistawrwydd
Ein seiat olaf un
Fe giliais yn benisel
Genhedlaeth gron yn hŷn.

Limrig

Wrth groesi'r hewl fawr yn Llandudno
Fe welodd fod lori'n dod ato,
    Ond ni chafodd amser
    I symud rhyw lawer –
Mae'r angladd ddydd Gwener (crimeto).

Brawd (Epa)

Mae'n wir mai brodyr ŷm ni
A gwn mor debyg ŷn-ni,
Ond, er hyn, dihyder wyt
A brawd i'm sobri ydwyt:
Anodd yw, tu ôl i ddôr,
Chwarae a thi'n garcharor.

Wrth edliw dy gaethiwed,
Geiriau hallt dy ddagrau a red,
I fod fy nghydwybod i,
Y mae hyn yn fy mhoeni.
Yn y sŵ, ai ti sy' wâr
A minnau y grym anwar?

Cysgod

Y poenau'n hen ofnadwy
Gan gadw i ddod o hyd,
A'r meddyg swta'n gofyn
Pam oedais i cyhyd,
Ac wedi'r sgan, ces weld fy hun
Fod ddoe ac echdoe ar y sgrin.

Llygaid

Roedd, ddoe, yn un o'r dorraid
A sugnai'r hen ast ddu,
A'i wyneb yn llawn ofnau
Wrth syllu arnom ni.

Mae heddiw'n llawn brwdfrydedd
A'r tennyn dros ei ben
Wrth arwain gŵr hyderus
Heb ofni ei ffon wen.

I Gofio Edwin

(Ysgrifennydd Llên Eisteddfod Llanbed am flynyddoedd maith;
Cynhelir y 'Babell Lên' yn Festri Soar)

'Steddfod Llambed sydd wedi
Colli'i llên a'i hawen hi.
Dichwerthin yw'r werin wâr,
Nos yw yn festri Soar.

Mae chwithdra am na ddaw'n ôl
Ein Edwin eisteddfodol.
Yn yr ŵyl prif biler oedd,
Brenin o Edwin ydoedd.

Yn ddi-os daw i'w sedd o
Un arall i gadeirio,
Ond i mi mae'r festri fach
Un dalent yn dawelach.

Gwanwyn

Fel cynt drwy'r holl wanwynau
Mae drama fawr yr oesau
I'w gweled eto ar bob twyn
A'r ŵyn yn britho'r llethrau.

Haf

Cawn hwyl, cawn golli deigryn,
Drwy wythnos o gydberthyn
Pan ddaw y brifwyl yn ei thro
I fro penllanw'r flwyddyn.

Hydref

Ar ôl i'r coed o'n cwmpas
Newid eu gwisgoedd gwyrddlas,
Mae mwy o aur ar lethrau'r gwŷdd
Nag sydd ym manciau'r ddinas.

Gaeaf

Y ddaear sy'n ddiegni,
Fe daenwyd cwrlid drosti,
Oherwydd mae 'di plygu'i phen
Mewn angen mynd i gysgu.

Gwrthdrawiad

Yn go rwff es rownd y tro'n grop, – yn llwm,
Braidd yn llyfn fy Nunlop;
Fy Austin gwffiodd fys-stop
A P.C. Huws o'r cop-shop.

Rhyfeddod

Fe wyddom mai rhyfeddod
O law Duw yw'n byw a'n bod.
Rhyfeddwn pan welwn ni
Y wawr o'r nos yn torri,
Neu fflamau'r machlud mudan
Yn rhoi dŵr y môr ar dân.
Gweld llam yr oen at famog
A rhyw gwm dan glychau'r gog,
Cael gweled y sêr wedyn
Neu ran o'r lloer yn nŵr llyn.
Af ar ei ôl i'w fawrhau:
Duw ydyw'r rhyfeddodau.

Cyfarchion i Emyr Penrhiw ar ei ben-blwydd yn 65 oed

Daeth adeg i roi'r gorau
I naddu cerrig beddau,
A chiliodd o dy weithdy mud
Gelfyddyd dy gyndadau.

Y gweithdy lle bu'r cyffro
Sydd yn gloëdig heno,
Ond crefft dy ddwylo sy'n parhau
Ar gerrig beddau'r henfro.

Pluen

Yn arlwy, mi a'i rhwymaf, – ac yna
  Â'm genwair, fe'i taflaf
 Yn y rhyd ar hwyr o haf
 Lle mae y brithyll mwyaf.

Strydoedd

Mae yna ddwy stryd o'r un enw
Y tu fas i riniog fy nhŷ,
Ar un fe gaf grwydro'n hamddenol,
Y llall – nid af byth arni hi.

Fe droediaf 'run gyntaf i'w therfyn
A dychwel yn bwyllog drachefn
'Rôl sgwrsio 'da llu o 'nghymdogion
I roddi'r hen fyd 'ma mewn trefn.

I'r llall nid wy'n mentro o gwbwl
Dan neon ei holl lampau mawr,
Ond, gwn, caiff y butain a'r llofrudd
Eu herlid gan doriad y wawr.

Tafodiaith

Mae pobol Aberaeron
Ac o fan'ny lawr i'r De
Yn siarad Cwmrâg teidi,
Wy'n deall nhw'n O.K.
Ond nid yw iaith y nefoedd
Yn eglur ymhob man:
Mae'n anodd iawn ei deall
O Aberystwyth lan.

Mae'n cathe ni bob amser
Yn lico yfed lla'th,
Ond gwell 'da phobol Corwen
Roi llefrith i bob cath.
Rŷm ni yn cau ein drwse,
Cau'r ffowls, cau'r fuwch a'r llo,
Ond lan yn Nhanygrisiau
Cau mynd ma' nhw bob tro.

Ni allant yngan 'bore',
Dweud 'bora' wnânt i gyd,
A rhyfedd yw eu harfer
O ddweud 'dwn im' o hyd.
Ac wrth i mi eu clywed
Yn galw fo yn fe
Rwy'n diolch yn fowr i'r drefen
Fy mod i'n byw'n y De.

Englynion Nadolig

Erys diben y geni – oherwydd
Ei seren rydd inni
Lawenydd ei goleuni
Yn ein hoes ddibreseb ni.

Bydded i seren y geni – aros,
A dirwyn ohoni
Lawenydd eto 'leni
Dan gronglwyd eich aelwyd chwi.

Yno'n dri, a'u beichiau'n drwm, – y daethant
Hwy'r doethion â'u hoffrwm
I ryw dywyll lety llwm,
A'r Iesu oedd y rheswm.

Pen-blwydd yr holl benblwyddi – ydyw hwn,
Mab Duw gadd ei eni,
A seren i'w thrysori
Sy'n y nen i'n swyno ni.

Er y mawredd a'r miri – a huliwn
Dros Nadolig 'leni
Yn ein hardd neuaddau ni –
Ynom mae Gŵyl y Geni.

Hydref

Yn dymhorol daw golud
Wedi'r haf, a'r lliwiau drud
O law Iôr yn gwau rhyw len
I euro brigau'r dderwen;
A'r holl liw yn troi y lle'n
Rhaeadrau aur yr hydre'.

Ond ti'r dderwen ysblennydd
Sy'n diosg, diosg bob dydd
Yn ddiorffen, sofrenni
O emau hardd, her i mi
Yw d'atal di rhag datod
Dy ŵn, waith mae'r gaea'n dod.

Y Baban Iesu

Hwn, y bwndel o fabandod – egwan,
Yw'r neges anorfod
O dŷ i dŷ sydd yn dod
I nodi gwyrth y Duwdod.

Nadolig

Na lanwer ffug oleuni – ein haelwyd
Dros yr ŵyl eleni
Waith mae seren 'Y Geni'
I'w chael yn awr, chwiliwn hi.

Nadolig

(Ar ôl ymosod ar Irác)

Beth sydd arnom yn bomio – ein brodyr
Pan mae'n bryd goleuo
Hen seren coeden y co'?
Wylaf, a golchi 'nwylo.

I Gofio Soch

Rwy'n tristáu, mae dagrau'n dod,
Anobaith sydd o wybod
Na welaf ar ei aelwyd
Un ddeuai, un fynnai fwyd
O fy llaw; hen gyfaill oedd,
Nodedig hefyd ydoedd.

Galar sy'n llanw'r galon
A rhyw frath sy'n pigo'r fron,
A rhywle'n y gorffennol
Mae cyfaill da na ddaw'n ôl,
Waith cafodd Soch y mochyn
Ei rwbio'n hallt erbyn hyn.

Datblygiad

Un amlen o lawenydd
Yn dal gobeithion y dydd,
Neu un drist, a'i geiriau'n drwm
O drais a chur direswm.
Amlen yn llawn o deimlad
A hanes gŵr maes y gad,
Neu gariad ar ffurf geiriau
Yn dweud am deyrngarwch dau.

Nid oes angen amlenni
Erbyn hyn, a'n harfer ni
Yw trin botymau bob tro
Yn ein hast ac e-bostio.

Dwylo

Yng nghoridorau coleg
Ni roddodd ef ei droed,
Aeth gyda'i dad fel prentis
Yn un ar bymtheg oed;
Ond gwerin ddiwylliedig
Sy'n gweled heddiw'n glir
Ei delynegion prydferth
Yng ngherrig llawer mur.

Limrig

Wrth edrych yn ôl rwyf yn credu
(Cyn iddo gael anffawd mewn ffatri
    Pan aeth cogs rhyw fashîn
    Yn rhy agos i'w dîn)
Fod Ned wedi meddwl priodi.

Gofyn am Rodd

Annwyl Syr,
Datgelais i
Heddiw i Dŷ'r Arglwyddi
Enwau'r holl bobol hynaws
Ar eu hynt i'r 'Upper House',
Ac yn eu plith rŷch chwithau
Yn un, gallaf gadarnhau.

Cyfalaf y Blaid Lafur
Yw'r boen yn y tymor byr:
Rwy'n begian am gyfraniad
I roi i'n hachos barhad.
Eich holl garedigrwydd chwi
Wna hyn.
Yn gywir,
Toni.

Nansi

(Buddugol Englyn y Dydd (Gwener), Maldwyn 2003)

Mae'n hofran rhwng y tannau, – mae'n y gerdd,
Mae'n y gainc a'r nodau:
Yn yr ŵyl mae hi'n parhau
Heddiw yma'n ddiamau.

Un Tal yn y Toilet

I un hirgoes, nid yw'r target – yn hawdd,
Mae'n nes at y mijet,
Gŵr sy'n siŵr o wlychu'r sêt
Yw un tal yn y toilet.

I Gyfarch D. T. Lewis yn 80 oed (13/12/1993)

Yn raddol, wrth i'th wreiddiau – wthio'i dir
Am wyth deg o hafau,
Mae'r awen i'th ganghennau
O rin y pren yn parhau.

Cau

Nid oedd ond tomen enfawr
O bridd i'r dyn a'i raw
Oedd wrthi ger y meini
Yn cau y twll islaw;
Ond i'r un a gerddai ymaith
Drwy'r glwyd yn drwm ei throed,
Hwn oedd y pridd sancteiddiaf
A greodd Duw erioed.

Cricedwr

Fe frifwyd fi'n ddifrifol, – y bowliwr
Yrrodd bêl drydanol
At fla'n fy wiced ganol –
Mae'n awr yn plygu am 'nôl.

Camlas

(Buddugol Englyn y Dydd (Mawrth), Nedd 1994)

O gerrynt fy helyntion – annelwig
Fe hwyliaf yn gyson
I'r dŵr sydd heb bryderon
Adre' o hyd wrth droi i hon.

Cwsg

Hen fôr, bob yn ddiferyn – estronol,
Yn hollol annillyn
A rydd her i'r bröydd hyn
A ninnau fel Seithenyn.

Paradwys

Yn fynych, ciliaf ennyd
O sŵn y boen sy'n y byd
I nefoedd glannau'r afon –
Dameg yw'r lle gerllaw hon.
Fe gaf gymun derfyn dydd
Yn nhawelwch ei dolydd.

Drwy ystâd fy mharadwys
Rhed y dŵr yn ffrydiau dwys,
Yn y sŵn, distawrwydd sy',
Yn y cynnwrf mae canu,
Ac mae'r afon hon ynof
Yn cripian ceulan y cof.

Cystadlu

Er bod 'na rai enfawr 'da Elsie
A rhai eithaf siapus 'da Meri,
Merch Ifan y go'
Yw'r gore bob tro
Am dato yn sioe Aberteifi.

Mewn Ysbyty

Rwy'n teimlo'n waeth fy nghyflwr
'Rôl cael ymwelydd neithiwr:
Mae'n brofiad cas i rywun hen
Weld gwên gan ymgymerwr.

Storom

Mae'r storom yn fy siomi, – mae'r storom
A'r stŵr yn fy mhoeni,
Un storom ddidosturi –
'Na i gyd yw 'mywyd i mi.

Tro ar Fyd

Yn ystod y pumdegau
Myfyriwr ifanc iawn
Ddaeth yma gyda'i neges,
A Seion bron yn llawn;
Ond pan ddychwelodd 'leni
Yn henwr bloesg ei lef
Roedd gan ryw bedwar ffyddlon
Eu neges iddo ef.

Dagrau

Yn Salem mae rhai Suliau – hynafol
Yn ailddyfod weithiau
I roddi ias wrth ryddhau
Hen hiraeth drwy y muriau.

Hi

Hi a garaf, hi'r gorau,
Hi a wna im lawenhau,
A hi yw'r digri a'r dwys,
Hi ydyw fy mharadwys.
Hi yw alaw fy awen,
Un hardd er ei bod yn hen.

I hon rhois wên o groeso
A hithau'r un yn ei thro;
Hi yw'r heulwen uwchben byd
O helynt, hi yw 'ngolud.
Fe'i huliais ar fy aelwyd,
Hi yw y maeth sy'n fy mwyd.

Aeth hon drwy fy ngwythiennau,
Hi yw y gwaed sydd yn gwau
Ac yn cynnal fy nghalon;
Mae rhyw ias yn mynd drwy 'mron
Oherwydd bod grym geiriau
Yn asio'n dwylo ni'n dau.

Yn ei chwmni hi mae'r haf
Yn hir, a chilio'n araf
Fel siwrnai'r trai ar y traeth
Wna heulwen fy modolaeth.
Yn gyson fy modloni
A wnaeth hon, fy iaith yw hi.

Cydymdeimlad

Oherwydd na all geiriau – yn unig
Gyflwyno teimladau,
Mae bwriad i'r seiadau
Ar lefel dawel rhwng dau.

I T. Llew Jones yn 80 oed (11/10/1995)

Canwn ein halaw lawen – yn un llu,
Mae'r Llew'n bedwar ugen:
Hwn yw heuwr ein hawen,
Hwn yw'n llyw, brenin ein llên.

Prifathro Ysgol

Un â'i het wedi fflato – a'i ŵn du
Fel rhyw dent amdano;
Yn ei wisg, yn ei osgo,
Hwn i mi oedd bwci bo.

Terfyn

Unwaith bu'n ddiwedd hanes, – yn bell, bell
Heb wae yn ei neges,
Ond erbyn hyn daeth yn nes
Â'i ewinedd i'm mynwes.

Beddargraff Gweinidog

Pregethwr da a Christion
Oedd Williams, bugail Seion,
Ond ofnir nad oedd ef bob tro
Yn pasio y 'Red Lion'.

Beddargraff Pregethwr Cynorthwyol

Fe lenwaist fwlch yn Rama,
Caersalem a Moreia,
Ond erbyn heddiw yr wyt ti
Yn llenwi bwlch fan yma.

Beddargraff Beirniad

Yn awr mae'r beirniad canu
Chwe throedfedd lawr yn pydru
O glyw pob unawd a *duet*,
A heb rosét na chopi.

Beddargraff Enillydd

Enillodd drwy'r gymdogaeth
Gan brofi ei ragoriaeth
Hyd nes daeth angau at ei ddôr
A chario'r gystadleuaeth.

Wrth Weld Llun Enwog Geoff Charles o Carneddog a'i Wraig yn Gadael eu Cartref

Anogwyd un planhigyn – a hi'n hwyr
I ailfwrw'i wreiddyn
Yn ddi-chwaeth mewn gardd o chwyn –
O'i adael – gwywodd wedyn.

Pont

Pan gronna fy nheimladau
Mor ddwfn â Llinon gynt,
A'r cerrynt yn fy atal
Rhag myned ar fy hynt;
Enciliaf draw o'r geulan
Er mwyn cael edrych fry
Waith Duw, yr adeg honno,
Yw 'Mendigeidfran i.

Ar Achlysur Dathlu 250 mlynedd Capel Hawen, Rhydlewis

Awn i'w naws, waith Hawen yw – y nodded
Dros ein gwreiddiau adfyw,
Hen nod gwyngalchog ydyw
Ond ei ddôr sy'n ddôr i Dduw.

Peswch

'Rôl dod o'r ffas i'r wyneb
Fe fynnai roi bob tro
Besychiad eithaf sydyn
I godi dwst y glo.

Heno gwna'r henwr ifanc,
Wrth ymladd am ei wynt,
Ddyheu am un yn unig
O'r pesychiadau gynt.

Enw Da

Er gwneud lot o ddiota, – er dy iaith,
Er dy holl fercheta,
Ac er dy hir segura –
Cei 'rôl marw d'enw da.

Camera

O agor clawr ei lygad – a'i adael
I nodi'r digwyddiad,
Anfarwolaf ryw eiliad
A rhoi i wên hir barhad.

Englyn ar Gerdyn Post gan Rywun ar Wyliau

(Buddugol Englyn Ysgafn, Meirion a'r Cyffiniau 1997)

Gair ar hast. Tywydd yn grêt. Fi a Wil
Ers nos Fawrth ger Barnet
Yn aros mewn rhyw garet,
Ond rwy'n fodlon. Cofion, Kate.

Darlun

Coffáu ein dyddiau diddos
Wna dy lun, fy ngeneth dlos,
Y dyddiau gorau i gyd,
Ein dyddiau o ddedwyddyd,
A neb yn medru gwybod
Am ddrycinoedd oedd i ddod.

Hwn yw llun ein llawenydd,
Hwn yw darn o'n "slawer dydd';
Hwn yw rhan o'n tymor haf
Sy'n gwau drwy ias ein gaeaf.
Hwn yw haen o'n gorffennol,
Hwn yw'n ddoe ni na ddaw'n ôl.

Ein hwylo roes haen felen
Ar y llun, wrth dynnu'r llen
A'r llwyfan ar ei hanner;
Yno'n fud ca'dd einioes fer
Ei herlid, ac mewn darlun
Yn fyw nawr mae'r cyfan hyn.

Emyn yn Moli Harddwch Natur

(Buddugol, Llanbedr Pont Steffan)

Ar gynfas mawr y byd
Mae myrdd o liwiau,
A Thi yw'r artist mawr
Fu'n creu y gwyrthiau;
Daw gwledd i'n llygaid ni, O Dduw,
Pan dry Dy luniau oll yn fyw.

I'r dderwen yn fy ngardd
Gwnest werddwisg gynnar,
A rhoi'n ei horiel fawr
Gymanfa'r adar.
O diolch, Dduw, am lunio'r gân
A'i dysgu i'r holl adar mân.

Pan welwn tua'r bae
Ar awr y machlud
Awgrym o'th aberth drud
Ar donnau gwaedlyd,
Fel plant pob oes fe roddwn ni
Ein moliant i Dy gread Di.

Y Fam Teresa

Anturiodd i'r gwteri – annynol
Yn ninas trueni,
A'r rhai yno fu'n profi
Gwresogrwydd ei hysgwydd hi.

Cymdogaeth

Rhan o gymdogaeth gryno
Fu 'more oes yn fy mro;
Fin nos, anodd cyfiawnhau
Un rheswm dros gau'r drysau
A byddin o werinos
Yn glawdd am gymdeithas glòs.

Ond i'r ardd drwy'r bylchau drud
Heriodd rhyw chwyn fy ngweryd,
Cymdogaeth bron dicllonni
Mwyach, ehangach yw hi.
Ym mro'r sen y Cymry sydd
Yn gwlwm gyda'i gilydd.

Ceisio Deall

Fy nghymar ga'dd ddau arall, – dau efaill,
Ond nid wyf yn deall;
Holaf heddiw'n anniwall
Drwy'r lle: "Pwy yw dadi'r llall?"

Hwiangerdd

Eisoes mae wedi nosi; – yn dyner
Fe dynnaf y llenni,
Gwnaeth angylion fodloni
Ddod heibio i dy wylio di.

Penillion Telyn

Pan oedd gwanwyn yn blaendarddu
Cefais feinir i mi'n gwmni;
Daeth yn ateb i 'mreuddwydion,
Rhoddais iddi le'n fy nghalon.

Wrth fwynhau ein haf hirhoedlog
Troes yr asur yn gymylog,
Ond er colli'r feinir radlon
Y mae eto yn fy nghalon.

Brodor

Wedi i'r haf droi'n hydrefol – yn Nhresaith
Erys un hynafol
Sy'n yngan yn wahanol –
Hwnnw yw'r iaith sydd ar ôl.

Gwydr

'Rôl dwad i seiadu
Ar ford rhyw dymor a fu,
Henwyr doeth sy'n treulio'r dydd
Yn holi hynt ei gilydd.

Holi yn eithaf trylwyr,
Ddracht ar ôl dracht, hyd yr hwyr,
Ac adrodd, uwchben gwydraid,
Rhagfarn a barn yn ddi-baid.

Eu hawydd am gwmnïaeth
Rydd i'r arlwy fwy o faeth,
A daw'r byd drwy y gwydr bach
I allor eu cyfeillach.

Iselder

Mae'r rhaff ar y mur o hyd, – yn uchel
    Erys bachyn hefyd
  Ar y trawst, waith daw'r tristyd
  Yn y man yn ôl i 'myd.

Bwlch

Carreg fedd fy nyweddi – ydyw hon,
    Ac mae darn ohoni
  Yn blaen a heb ei lenwi –
  Fan hyn rhoir fy enw i.

Ynys

I waelod pell fy nghalon – mi a af
Lle mae fy ngobeithion
Wedi'u rhoi: yn nyfnder hon,
Efallai, mae Afallon.

Cyfaill

Y mae un sy'n driw i mi,
Y pennaf o gwmpeini;
Un wna 'nilyn yn wylaidd
I roi help i locio'r praidd;
Â'n rasol 'nôl o'i fwynhad
Beunydd i sŵn chwibaniad.

Pan fydd rhagor o oriau
Ym min hwyr, caf eu mwynhau
Yn ymyl tân yn twymo
A 'myd yn glyd o dan glo.
A daw y bwndel diwyd
A'i gwt yn eiriau i gyd.

Emyn ar gyfer Gwasanaeth Cysegru Capel Gorffwys Soar, Sarnau

O ferw gwyllt y dydd
A dwndwr mawr ein byd,
I'r fangre dawel hon
Y daethom oll ynghyd
Gan alw'r presenoldeb mawr
I ddod i'n plith fan yma'n awr.

Wrth agor heddiw'r drws
Clodfori'r fenter wnawn,
A chanmol dwylo'r grefft
Fu yma'n profi'u dawn.
Mae capel gorffwys newydd sbon
Yn gwasanaethu'r ardal hon.

Pan fydd rhyw gwmwl du'n
Tywyllu glas eu nen,
Galarwyr fydd yn dod
Fan yma i blygu pen.
Yn y tawelwch dangos Di
Mai ymgeleddwr ydwyt Ti.

Cwrdd

Bu sôn am gael aduniad
I ddenu eto ynghyd
Y teulu a wasgarwyd
I bedwar ban y byd.

Ond ddoe, â mynwent Bethel
Yn ddu gan dyrfa fawr,
Ni soniwyd am aduniad –
Mae hi'n rhy hwyr yn awr.

Breuddwyd

Mewn seithfed nef y cefais – fy hunan
'Da rhyw feinwen gwrtais,
Un gymodlon, llon ei llais
Yn annog . . . ond dihunais!

Molawd i Gymdoges

Mae 'nghymdoges drws nesaf
A'i gwên fel heulwen yr haf;
Un fronnog, nid yw'r Frenni
Hoffus mor siapus â hi;
Un â'i gwallt yn aur i gyd
Yn hofran fel cae hyfryd
O wenith, un â'i chanol
Yn fain, heb lawer o fol.
Yn amal rhag ei siomi
Yr af i'w chysuro hi:
Niagra o serchowgrwydd
Yn ddiarbed red yn rhwydd.

Y mae'n weithred gyffredin
Dros y ffens ar draws y ffin
I hon dorheulo'n yr haf
Yn dor-noeth i'r darn eithaf.
Dros oror i'm diddori
Arlwy fwy ni welaf i.
Yn ei hing, pan fo angen
Newid bwlb yn codi'i ben
Neu gorryn newydd gyrraedd
Ei gwâl, a hithau'n rhoi gwaedd,
Daw'r wŷs sy'n fy nenu draw,
Wastad mae'n alwad ddistaw;
Ond mae rhyw nod i 'mywyd
O gael hon i'm galw o hyd:
Waith rwy'n medru'i helpu hi'n
Wahanol a'i bodloni.

Ailgylchu

'Rôl llunio ambell bennill,
Rhyw ddau neu dri, dim mwy,
A'r rheini braidd yn dywyll
I mi eu deall hwy,
Enillais lu cadeiriau
O Blwmp i Afon Wen
Drwy wneuthur newidiadau
I'r testun uwch eu pen.

Drws

Reit ar ein stepen heno – y mae Un
Sydd yn mynnu curo
Ar wareiddiad, er iddo
Gael o hyd ein drws ar glo.

Finlandia

Anwylaf ferch Sibelius
Sydd yn tramwy drwy y drws
Yn ei rhwysg, daw ar barêd
I hawlio cael ei gweled
Yn ei gwisg o sidan gwyn
O wniadwaith sŵn nodyn.

Alaw wych, urddasol yw;
Nodedig ganiad ydyw.
Dirwyn i'r uchelderau
Wna o hyd i'n llawenhau.
Mae'n ddyhead canadwy,
Yn un fawr sy'n tyfu'n fwy.

Nyddwyd yn gymar iddi
Emyn hardd er ei mwyn hi,
A geiriau y gwladgarwr
Wnaeth y gamp, waith hi a'i gŵr
Drwy'r briodas eirias sydd
Yn hawlio cwmni'i gilydd.

Myfyrdod

Pan fyddo'r mynd yn ormod
A'r hyn wnaf ymhell o'r nod,
Pob ymbil wedi cilio
A'r byd i gyd mas o'i go',
Af o'i her am ennyd fach
I hawlio byd tawelach.

Gan bob un ynddo'i hunan
Mae hewl i ryw draethau mân,
A chwilio yno ennyd
Yw'n nod a'n hanfod o hyd.
O raid, mae gan bob un draeth
Ar dalar ei fodolaeth.

Yma rwy'n mynd i gymun,
Caf yn gwmni fi fy hun,
A'r cyfle gore i gyd
I mi gael gweld fy mywyd
Fel y mae, ei wae a'i her,
Ei baradwys a'i bryder.

Mae angen byw'n hamddenol
A throi i ffwrdd o ruthro ffôl
Hyn o fyd; weithiau fe af
O'i olwg, a phan giliaf
I'r encilion rwy'n honni
Y dof i'm hadnabod i.

Annibendod

Dillad isa' Nesta ni – ar y bwrdd,
A'r beic yn y pantri;
Haen o stwmps o dan setî
A neb yn dad i'w babi.

Ffrind Gorau

Fe fuom ni'n cydgerdded
Dros lwybrau'r bröydd hyn
Hyd nes i angau ddatod
Y cwlwm oedd mor dynn;
A heno i'm hatgoffa
O'n cyfeillgarwch ni
Mae gennyf dennyn segur
A bedd yng nghae dan tŷ.

Cydwybod

At frigau ucha'r goeden
Anelais, saethais i,
A'r lleidr stwrllyd blymiodd
I'r clos yn sgerbwd du.

Ond galwodd un o'i chywion
O'i grud fry ar y pren
A brathwyd fi'n fy mynwes
Gan saethwr gwell uwchben.

Drws

Wrth gerdded yn obeithiol ar fy nhaith
A gweld y gorwel wrthi'n agosáu,
Arhosaf, waith deallais lawer gwaith
Fod drws tu ôl i mi sydd wedi'i gau.
Fan hyn mae cartref fy nghydwybod i
Ac iddo, fy ngorffennol pell a ffodd,
Y digwyddiadau a roes imi fri,
A phob rhyw edifeirwch, gwaethaf modd.
Gobeithiol wyf wrth ddal i edrych 'nôl
Y gwelaf allwedd yn y drws ryw ddydd,
I mi gael cloi fy holl weithredoedd ffôl
A hefyd yr hen ysgerbydau cudd.
Ond gwn na fydd fy nghyfle byth yn dod
Oherwydd nid yw'r allwedd hon yn bod.

Fy Mro

O'i herwau nis anturiaf, – yn nef hon
    Drwy fy oes arhosaf,
  Ac ar ôl f'anadl olaf
  I'w hedd i orwedd yr af.

Hen Gelfyddyd

O roi yn nodwydd yr awen – ein hiaith,
    Yna'i phwytho'n gymen
  Drwyddi draw â chystrawen –
  Ti a ŵyr gelfyddyd hen.

Y Bandit Unfraich

Y dyledwr diawledig, – ein harian
    A gâr yn gythreulig;
  Awydd hwn wna dyn yn ddig,
  Ni chwyda ond ychydig.

Damwain

Herbert oedd fachan byrbwyll,
Neidio perth heb gymryd pwyll
Wnâi o hyd, gallai neidio
Unrhyw gât fel gŵr o'i go'.

'Rôl yfed yn 'Y Bedol'
Un nos yn hwyr, croesai'n ôl
Yn heglog igam-ogam
O gae i gae, gam wrth gam,
Yn ddi-hid, waith yr oedd e'n
'Unsteady', hyd y styden.

Ar ddieflig weier bigog
Yn hir iawn fe fu ynghrog.

Wedi'r profiad ofnadwy,
Rhag dioddef, mae ef mwy
Yn osgoi pob peth mewn sgert –
Barben wnaeth reibio Herbert.

Parodi: Y Llwynog (R. Williams Parry)

Ganllath o 'Marks and Spencer' Abercych,
A'r Ford Fiesta'n towio'r garafàn,
Disgleiriodd golau llachar yn y gwrych
A brecais yn reit sydyn, yn y fan.
Ymwthiodd ei ddwy droedfedd lan yn syth
A cherddodd yn urddasol iawn o 'mlaen,
Estynnodd gwdyn a dywedodd 'Chwyth',
A minnau yn parlysu dan y straen.
Fe chwythais nes fy mod yn teimlo'n gam
Ac yntau fel rhyw guryll mawr uwchlaw,
Ond nid oedd angen becso yr un dam,
Rown i'n ddi-fai er gwaethaf fy holl fraw.
Yna gwnaeth P.C. Plod ryw sydyn wib
A chiliodd fel hen geiliog heb ei grib.

Coleg

Rhywfodd, fy nhystysgrifau – a impiodd
    Ar gampws y caeau:
  Roedd dilyn tra'd fy nhadau'n
  Fwy o werth na'r athrofâu.

Meibion Glyndŵr

(Buddugol, Eisteddfod Pantyfedwen, Pontrhydfendigaid)

'Rôl cipio'n maes, y Saeson – a fynnent
    Gael difwyno'n ffynnon;
  O'n hanobaith daeth meibion
  I roi hwb i'r Gymru hon.

Pedol

Wrth lusgo'r og drwy diriogaeth – fy hil
Gwelais fedd hwsmonaeth;
Rhyw bedol i'r ddôl a ddaeth
O wely hen fodolaeth.

Y Gambo

(Papur Bro De-orllewin Ceredigion)

Caria hon lwythi cryno – o'n heniaith
I'w rhannu drwy'r henfro,
A'i thaith yn fodd, gobeithio,
I barhau Cymreictod bro.

Twyll

Ti'r oenig ar y llethrau
Yng nghysgod dy fam faeth,
Cei ddychwel ati beunydd
I wledda ar ei llaeth;
Ond ni ddoi byth i wybod
Mai angau roes i ni
Y wasgod wlân a wisgaist
Er mwyn cael mam i ti.

Past snaps

PICTURED are members of Bwlchygroes YFC, near Llandysul, who went to London to attend the annual meeting of the NFYFC and to receive their award, the National Efficiency Shield, after being placed first in Division A (senior clubs) of the National Efficiency Contest 1944. The photo was sent in by Milwyn Evans, of Blaenesgob, Llandysul.

If you would like to see your picture appear on this page, send your past snaps to 18 King Street, Carmarthen, SA31 1BN.

TRAIN tragedy: Four bodies were recovered.

Row brewing over flood relief aid

by Wyndham Rees and Roger Phillips

A multi-million pound row is brewing at Carmarthen over the extent of Government relief in the wake of the worst flooding in living memory.

Unhappy

Trouble spot . . . Welsh Secretary Peter Walker is briefed by local district councillor Robin Griffiths after visiting Pensarn, the worst hit area of Carmarthen's flood nightmare.

FRONT PAGE NEWS: How the Journal rep
flooding in 1987.

HELP ON HAND: A rescue boat in Pensa

Gwahoddiad

(Buddugol, Eisteddfod Cymdeithas Ceredigion)

Annwyl Syr,
Fe glywais sôn
Nos Iau, gan flaenor Seion,
Am y ddau o Salem ddaeth
I degwch ein cymdogaeth;
Ac o'n bodd fe'ch gwahoddwn
I'n plith yn y capel hwn.
Yma dyn da sy'n was Duw,
A gweinidog iawn ydyw.
O, dewch i ymledu'r dôn
Yn niwyd achos Seion;
Yno'n siŵr eich angen sydd,
Rhys Harris,
(Y Trysorydd)

Dwrn

Er ei adael ar brydiau – annelwig
I hawlio'n teimladau
Ei agor ar adegau
Yw y gamp, yn lle ei gau.

Cywydd Coffa i'r Prifardd Dafydd Jones, Ffair Rhos

(Buddugol, Eisteddfod Cymdeithas Ceredigion)

Y ffridd fu'n gartref diddos
I'w wraidd ym mawndir Ffair Rhos,
Bro hudol sy'n baradwys
I brifeirdd, a beirdd o bwys;
Y fro wâr ar enwog fryn
A nodded yn ei phriddyn.

Ei goleg fu'r gwehelyth
O gewri a bery byth,
A'i radd oedd bwrw'i wreiddyn
Yn y rhos gyda'r rhai hyn,
Bwrw'i wraidd a chyrraedd brig
Ei dymor academig.

'Y Clawdd' fu'n binacl iddo,
Gwledd o hyd yw ei glawdd o,
A'i waedd o'r unigeddau
Yn waedd i'w werin fwynhau;
Un a'i glawdd yn feini glân
Oedd brifardd Aberafan.

Bu'n alltud wrth fachludo,
Aeth o'r 'Fron' i ddieithr fro,
Gan ddod 'nôl ar ôl hwyrhau
I fro annwyl ei fryniau:
Rhoi'i gist yn drist i'w rhostir,
Rhoi'i arch i'w thywarch a'i thir.

Tribannau: Bywyd

Gwanwyn

Mae bore oes a'i swynion
A'i oriau diofalon,
A'r nodded sydd ar aelwyd glòs
Yn aros yn y galon.

Haf

A'r dydd yn hir ei oriau,
Hwn ydyw'r cyfle gorau
I weithio'n ddiwyd er i ni
Gael llenwi ein cypyrddau.

Hydref

Mae pethau'n fwy hamddenol
Pan ddaw hi'n bryd ymddeol,
A chyfle i gofio'r dyddiau gwell
Ymhell yn y gorffennol.

Gaeaf

Er bod 'na fwyd a chysgod
A chwmni yn 'Yr Hafod'
Nid oes fan yma fawr o hwyl
Wrth ddisgwyl am y diwrnod.

Ffarwél i'r Bibell

Anniddig wyf ers dyddiau,
Un wyf na all lawenhau:
Rwy'n gaeth rhwng muriau hen gell
Heb obaith tanio'r bibell,
Un trist ydwyf nawr ers tro
Heb ronyn o San Bruno.

Cofiaf ddedwydd hwyrddydd ha'
A rhamant yr aroma,
A daw'r sawr â chysuron
Bore oes yn ôl i'm bron.

Ond mwyach rwyf yn achwyn
Yn gryf, am fod gennyf gŵyn
Na chaf San Bruno, na chwaith
Un 'dummy' yn gydymaith.

Y Deintydd

Hwn yw cigydd ein cegau, – hwn yw'r un
Sydd yn rhoi hunllefau,
Am hyn mae'n well i minnau
Gadw'r geg o hyd ar gau.

Rhyddhad

I'w wely oer ciliodd claf,
Hen ŵr yn marw'n araf,
Ei ferch yn gwylio'i erchwyn
A'i ddydd a nos oedd yn un.
Hithau oedd yn driw i'w thad
Yn rhoi iddo'i hymroddiad;
Oriau anodd oedd 'rheini,
Oriau drud, oriau di-ri;
Drwy ei hoes hyd ei hwyrhau
Arhosodd; er ei heisiau
Daeth griddfan y gwahaniad
I roi iddi hi ryddhad.

Afon Teifi

(Buddugol, Eisteddfod Cymdeithas Ceredigion)

Fe welais fam esgyrnog
Ar aelwyd oer, garegog,
Yn rhoi ei merch mewn crud o frwyn
Dan glogwyn Bryn Eithinog.

Mae'n galw mewn pentrefi
Rhwng Bont ac Aberteifi
Gan rannu eiddo dwy hen sir
Yn gywir bentigili.

Llandudoch, yn ddigalon,
Yng nghwmni Gwbert weithion
A gluda arch hen ferch mewn hedd
I'w bedd ym mynwent Neifion.

Cadwyn

(Buddugol, Eisteddfod Cymdeithas Ceredigion)

Cyn dyddiau brawdgarwch,
Negro mewn poen;
A chadwyn y caethwas
Yn torri'i groen.

'Rôl rhoi cydraddoldeb
I'n brawd a'n chwaer,
Y negro'n urddasol
Mewn cadwyn maer.

Teyrnged i'r diweddar Roy Stephens (ein hathro brwdfrydig)

Annifyr yw'n Cerdd Dafod, – ni thorrir
Llythyren na chollnod;
Anobaith sydd o wybod
Nad yw ef drwy'r ddôr yn dod.

Ni ddaw Roy, ni ddaw'r awen, – ni ddaw'r gair
Rydd i'r gerdd ei diben;
Ni ddaw yr un gystrawen,
Ni ddaw o'n llaw gynnyrch llên.

Ni welwyd fod y dalar – mor agos,
Mae'r rhwyg yn rhy gynnar;
Mae rhyw wae drwy Gymru wâr,
Anwylyn droes yn alar.

Beddargraff Ysgafn

(Buddugol, Prifwyl Eryri 2005)

Rhoddwyd Hywel yn welw – a heb lais
Mewn blwch o bren derw
Dan chwyn fan hyn, medde nhw,
Oherwydd iddo farw.

Emyn i Godi'r Galon mewn Cyfyngder

(Buddugol, Llanbedr Pont Steffan)

Pan fyddo'r seiliau'n siglo
A chraciau yn y mur,
Pob diwrnod yn ddiwaelod,
Pob nos ddi-gwsg mor hir,
O weld Dy fap fe allaf droi
A mynd ar hyd y ffordd osgoi.

Pan fyddo'r bywyd modern
Yn hyrddio'n wyllt ymlaen,
A nerth y corff a'r meddwl
Yn plygu dan y straen,
O gael Dy fap caf weld y daith
Fel na wnaf golli'r ffordd 'run waith.

Pan fyddo hwyrnos bywyd
Yn hofran uwch fy mhen,
A brws yr Artist mwyaf
Yn prysur dduo'r nen,
Bydd hyn yn arwydd clir i mi
I blygu'r map, a diolch i Ti.

Ann Griffiths

(1776-1805)

Seithenyn ein hamserau gysgai'n drwm
Pan lifodd difaterwch drwy y tir:
Daeth môr o anghrediniaeth dros y cwm
A'i gerrynt yn diwreiddio'r prennau ir.
Bellach fe'th dorrwyd ymaith o'r tir mawr,
Mae culfor o ddwy ganrif rhyngom ni,
Ac felly mae cenhedlaeth gennym nawr
Na phrofodd ramant dy emynau di.
Ond weithiau draw o'th ynys dros y don
Fe glywir eto beth o'r cyffro gynt,
Waith os gwna ymdawelu, mae'r oes hon
Yn siŵr o dderbyn neges yn y gwynt,
Pan glywir geiriau 'tanbaid' dros y lan
Yn sôn am brofiad y 'fendigaid' Ann.

Barddas

(Cydradd Englyn Ysgafn, Cwm Rhymni 1990)

Eu baban yw *Hunllef* Bobi, – a'u camp
Yw'r coeth flodeugerddi;
Cenhadon pob barddoni,
A Maffia'n llenydda ni.

Coed Coch

(Buddugol Englyn y Dydd (Mercher), Llanelwedd 1993,
pan oedd John Redwood yn Ysgrifennydd Cymru)

Yn ymyl platiau trymion – a rhamant
Eu patrymau gleision
Fe roddwyd rhyw lestr estron
Ar y seld gan yr oes hon.

I Gyfarch Marian Thomas, Felin Brithdir, Rhydlewis

(ar ei phen-blwydd yn 90 oed ar Fedi 28, 2002)

Y gorau o blith gwerin – yw annwyl
Frenhines y Felin;
Hi a fedd ryw ryfedd rin
Yn nefoedd ei chynefin.

Yn ei chof mae ei chyfan, – wedi gweld
Naw deg oed mae Marian:
Heddiw caiff ddathlu'n ddiddan
Yn ei thŷ o flaen ei thân.

Hi a hawlia fy moliant, – a mynnaf
Ddymuno'n ddiffuant
Iddi gyrraedd ei haeddiant
O gam i gam nes yn gant.

Carchar

Yn ei wely'n hir a'i ddwylo'n wyn
Fe'm gwnaeth yn gaeth am fod gwaed
Ohono'n llifo ynof.

Fy nghyffes yw fy nghyffion,
Magwraeth yw'r magwyrydd
A bore oes yw'r barrau heyrn.

Fi yw ei law, fi ei lais,
Fi ei addod, fi ei feddwl,
A fi yw ei gynneddf ef.

Yn undonedd pob heddiw
Daw henaint a gwastraff dynol
Yn don ar don nos a dydd.
Un aberth anniben
Yw fy mywyd enbyd i;
Rwyf deyrnged or-flinedig
Na wêl wawr.

Hwn yw gwely'r frwydr galed
A'i erchwyn yw fy ngharchar.

Casineb

Rhyfygwyr diarfogi
Yw'n herch gyfalafwyr ni:
Mae rhyfel yn fêl ar fys
Anwaraidd wŷr pwerus.

Ennill yw colli einioes,
Awydd un yw diwedd oes
I arall, waith nid trallod
Yw y cledd i rai, ond clod.

Amharod i gymodi
Er cau'r rhwyg yw'r taer eu cri:
Eu dwrn yn lle'u llaw sy'n dod –
Rhyfel sy'n haws na thrafod.

Enfys

(Awdl fuddugol Eisteddfod Pontrhydfendigaid)

Talu dyn am atal Duw
Oedd dialedd y dilyw,
A bwa'r arch ar y bryn
Oedodd yn symbol wedyn.
Enfys! rwyt bont o'r cynfyd,
Y bwa hyna'n y byd.

O lawr dôl fe'th welir di
Yn haen dros lethrau'r twyni.
Rhodiaf drwy gaeau 'mrodir
At dy bont a'i bwa hir,
Rhodio drwy'r ffin gyfriniol
A hynny'n dynn ar dy ôl.

Hen hoeden ddigrif ydwyt,
Un na fyn fy addef wyt;
Mynni fod rhyw gam neu fwy
O afael pob rhyw ofwy,
Ond eto gwn fod iti
Liwiau hud wna 'ngalw i.

Amlygaist dorchen dy liwiau ysblennydd
Unwaith ar gefnen lle mae derwen dal,
Ond er im fynd draw atat yn dawel
Roet ti yn gwarafun i ddyn dy ddal.

Rhyw ias oedd gweld dy drysor
Ar gefndir glas mas i'r môr:
Yn y bae roedd bwa hud –
Bwa holl liwiau bywyd.

Alaw o serch glywais i
O gilgant ar lan gweilgi
Yn arllwys celf i'r morllyn
A'r lliwiau oll yn creu llun.
Arlwy yr Artist mwya'
O'i wybr Ef a hir barha.

Enciliol, hudol ydwyt,
Ein hardd Fendigeidfran wyt;
Yn wylaidd dof i'th ddilyn
Yn hedd hir y bröydd hyn,
Ond o hyd dy symud sy'
Fel enaid yn diflannu.
Mae pobol ar d'ôl yn dod
Ond neb ddaw i'th adnabod.

Diystyr yw dy gonsurio – o hyd,
    Nid ydyw'r coluro
  A'r hud a roist ar ein bro
  Yn iawn, waith nid wyt yno.

* * *

Mae lliwgar Enfys arall,
Un hardd, ac Enfys a all
Lenwi 'myd o hyd yw hon,
Hi a hawlia fy nghalon.
Cariadus, hapus epil –
Y ferch sy'n barhad fy hil.

Un gu, a harddach ei gwedd
Ydyw hi na Blodeuwedd,
A gwn fod y lliwiau i gyd
Yn tyfu drosti hefyd,
A'u hynni gwâr drwyddi'n gwau
Fel hudol ardd o flodau.

Hi heddiw yw 'nedwyddyd, – hi wawria
Bob yfory hefyd,
Fy nghalon yw hon o hyd –
Enfys yr holl gyfanfyd.

Nid yw'n swil, nac yn cilio
I ffwrdd fel truan ar ffo.
Hi yw hil eitha'r teulu
A duwies ein hanes ni,
Hi yw y rhan sydd ar ôl,
Hi ydyw y dyfodol.

* * *

Er i'r holl liwiau gael eu gwau'n dragywydd
A bwa Noa i ddod o'r newydd
Yn arlwy inni o law'r Arlunydd,
Fy Enfys i ydyw'r seren ysblennydd.
Un sy'n bont yr holl bontydd – yw honno,
Hi a all lunio fy holl lawenydd.

Cymwynas

Ydwyf, rwy'n cofio'r cyfarth
Yn yr oriau mân,
A phawb yn dianc wedyn
O grafangau'r tân.

Addewais ers blynyddoedd
Dalu'n ôl i ti,
Ond mae'n weithred anodd
Dweud nos da, 'rhen gi.

Gwarchod

(Cydradd Telyneg, Bro Delyn 1991)

Arhosais wrth ei hymyl
Drwy wae ei storom hir
Heb amser i synhwyro'r
Tymhorau yn y tir;
Ac ym mherfeddion neithiwr
Ar awr gwahanu dau
Nid cyffion claf yn unig
A gafodd eu rhyddhau.

Cwsg

Dy hil sy'n teimlo'r dolur, – erbyn hyn
Mae'n hwyr a digysur:
Pob maes, pob ffynnon, pob mur
A werthwyd. Deffro, Arthur!

Cynildeb

Mae darnau o ystyllod
A thwr o frics di-ri
Bron llenwi'r ardd o amgylch
Ein cartref newydd ni;
A'r adeiladwr erbyn hyn
O afael unrhyw un a'i myn.

Mewn cartref newydd arall
Mae ein cymdogion ni,
Heb unrhyw fath o wastraff
'Rôl gorffen codi'r tŷ;
A'r adeiladwr yn ddi-daw
Ym mrig yr onnen sydd gerllaw.

Ffenestr

Llafur ffyddloniaid
Yn eu hamser rhydd
Ddaw â'n papur bro
I weld golau dydd.

Yna y werin
Ddaw'n fisol ynghyd
At y ffenestr hon
I gael gweld eu byd.

Ffurflen Cyfrifiad 2001

(Roeddwn yn un o'r rhai na ddychwelodd y ffurflen)

Er arfer cydymffurfio – yn ufudd,
Mi dyfais yn Gymro,
Un taer iawn, ac am y tro
Honnais nad oeddwn yno.

Cyflymder

Roedd tarw yn rhedeg mor fuan
O amgylch y das yn yr ydlan,
Ac yn amlwg o'i go',
Âi'n gyflymach bob tro
Nes domi ar ei dalcen ei hunan.

Beddargraff i'r Twrci

Hen dwrci melltigedig,
Hunanol a diawledig,
Wnaeth gwympo'n farw ar y clos
Bythefnos cyn Nadolig.

Annhegwch

Er hau dyfal hyd dalar, – er bod twf,
  Er bod Duw yn darpar,
 Newyn fydd ar ein daear
 Os yw un am fwy na'i siâr.

Effeithiolrwydd

Roedd pedwar o feibion go heini
Gan Ifan y Gof, yn pedoli:
  Aent ati'n ddi-oed,
  Roedd un i bob troed,
Gan orffen y gwaith yn reit handi.

Ar Enedigaeth ein Hŵyr Gareth Carwyn Rowe, Awst 9, 2005

Ni allaf greu llinellau, – ni allaf
  Roi dull i frawddegau:
 Yr awen hon sy'n prinhau,
 Gareth sy'n fwy na geiriau.

Pellter

Fe ddaeth technoleg y sgrin deledu
Â phen draw'r byd i fewn i'n cartrefi:
Gwelwn fanylion am ddigwyddiadau
O bob cyfandir ymhen munudau,
Heb wybod fod dyn mewn fflat gyfagos
Yn farw gelain ers bron i wythnos.

Amen

Yn rasol fe arhosir, – am hydoedd
Siomedig gwrandewir;
Yn galed fe'i disgwylir –
Daw â thaw ar bregeth hir.

Diwedd y Daith

Mi wn fod yn rhaid i minnau – gilio
I ddirgelwch oesau
A rhoi'r wisg o babell frau
Yn ôl i'w hen hualau.

Paham?

Paham yr wyf yn amau – y diwedd
Pan fo Duw drwy'r oesau
Yn awyddus i faddau
I'r hwn sy'n edifarhau?